P'tit Loup

devient grand frère

Orianne Lallemand
Éléonore Thuillier

AUZOU éveil

Ces temps-ci, Maman est fatiguée,
P'tit Loup s'inquiète :

– Maman, pourquoi tu ne veux plus me porter ?
Pourquoi tu dors tout le temps ?

Maman prend P'tit Loup sur ses genoux et lui murmur

— C'est parce que j'ai un secret :

Papa et moi, on va avoir un bébé.

P'tit Loup est très surpris.

— Mais il est où, le bébé ? demande-t-il.

Maman explique :
— Bébé est là, bien au chaud dans mon ventre.
Il grandit, il se prépare à venir.

P'tit Loup réfléchit :
— Je n'ai pas envie d'un bébé, dit-il,
je préfère qu'on reste tous les trois :
toi, moi et Papa.

Dans son bain, P'tit Loup pense au secret.
Il n'est pas très content.

Ce bébé, il va prendre
beaucoup de temps à Papa, à Maman.
Et lui, est-ce qu'on l'aimera comme avant ?

Alors, plouf ! P'tit Loup envoie de la mousse partout.
Et tiens ! Bien fait !

– Oh là là ! soupire Papa.
Que s'est-il passé ici ?
Une bataille de requins ?
Une fête chez les pingouins ?

Mais P'tit Loup se met à pleurer.
– Je ne veux pas d'un autre bébé !

Maman prend P'tit Loup dans ses bras.

— Ne t'inquiète pas, quand le bébé sera là,
Papa et moi, on t'aimera toujours autant.

— Et puis le bébé sera tout petit, ajoute Papa,
il aura besoin de son grand frère près de lui.

P'tit Loup sourit, il n'avait pas pensé à ça.

Le ventre de Maman grossit de jour en jour.
Il devient énorme !
— Tu es une maman éléphant, rit P'tit Loup.

Et il pose la tête sur son ventre :
il sent le bébé bouger.
Maintenant il a hâte de le rencontrer !

Un après-midi, enfin,
Papa vient chercher P'tit Loup à l'école.

— Le bébé est arrivé ! annonce Papa.

P'tit Loup est fier comme un roi. Tout excité aussi.
Il se demande à quoi ressemble le bébé.

À la maternité, Maman sourit dans le lit blanc.
Dans le berceau, juste à côté, il y a... bébé.

— C'est ta petite sœur, dit Papa,
tu peux la prendre contre toi.

Qu'elle est petite ! P'tit Loup n'en revient pas.

— C'est une coquine, ça se voit, dit P'tit Loup,
on va bien s'amuser, elle et moi !

Toutes les histoires tendres et malicieuses
de P'TiT LOUP